PARLIAMO UN PO'

PARLIAMO UN PO'

by

R. E. McDonell

**Illustrated by
Paul Wright**

HARRAP LONDON

First published in Great Britain 1970
by GEORGE G. HARRAP & CO LTD
182-184 High Holborn, London WC1V 7AX

Reprinted 1976

© *Jacaranda Press Pty Ltd, Australia* 1965

This edition © *George G. Harrap & Co. Ltd* 1970

All rights reserved. No part of this publication may be reproduced in any form or by any means without the prior permission of George G. Harrap & Co. Ltd

ISBN 0 245 50316 1

Printed by lithography and made in Great Britain
at David Green (Printers) Ltd, Kettering, Northants

PREFACE

This book, a sequel to *Prime Letture,* contains ten chapters and the same number of full-page line drawings. Each chapter consists of a reading passage, comprehension questions, and a short list of idiomatic phrases which occur in the text. Most of the chapters also contain adaptations of the first text in dialogue form. There is a complete end vocabulary.

1. IN UNA CAMERA

IN UNA CAMERA

"Buon giorno, Gino! È ora di alzarti, sono già le sette", disse la signora Ricci entrando nella camera di suo figlio.

"Grazie, mamma; mi alzo subito", rispose Gino. Si mise a sedere sul letto, poi si alzò e andò a lavarsi nella stanza da bagno. Quando ritornò per vestirsi si sentiva molto meglio. La camera di Gino è ben ammobiliata. Adesso che frequenta l'università passa molte ore del giorno nella camera. A destra, vicino alla finestra c'è un tavolo da studio con i suoi libri. Su un tavolino vicino al letto vediamo una lampada moderna. Gino legge molto. Ogni sera, prima di spegnere la luce, legge qualche capitolo d'un romanzo italiano. È un lettore appassionato della letteratura italiana ed ha una preferenza per gli scrittori moderni.

Come si vede la mobilia è molto semplice, ma di buon gusto. Il quadro alla parete è un acquarello fatto da Gino l'anno passato. Gino prende lezioni d'arte e dimostra già un talento eccezionale per questa forma di espressione.

DOMANDE

1. Chi entra nella camera di Gino?
2. Che cosa dice la madre?
3. Come risponde Gino?
4. Che cosa fece poi?
5. Come è la camera di Gino?
6. Perchè Gino è spesso nella camera?
7. Che cosa fa Gino ogni sera?
8. Per quali scrittori ha una certa preferenza?
9. Dove si trova un acquarello nella camera di Gino?
10. Che cosa dimostra questo quadro?

FRASI UTILI

è ora di	it is time to
mettersi a	to start
frequentare l'università	to attend university

DIRECTED COMMANDS

LA MADRE.	Mario, dì a Gino di alzarsi.
MARIO.	Alzati, Gino, sono già le sette.
IL PADRE.	Pietro, domanda alla mamma che ora è.
PIETRO.	Che ora è adesso, mamma?
MARIA.	Tino, domanda a Gino dove studia.
TINO.	Dove studi durante il giorno?

2. IN UNA SALA DA PRANZO

IN UNA SALA DA PRANZO

Una delle gioie più semplici è mangiare in compagnia della propria famiglia o con amici intimi. La scena che si vede a sinistra si ripete due o tre volte al giorno. Qui si vede una madre che porta da mangiare alla sua famiglia. Il padre, appena ritornato dal lavoro, sta raccontando qualche cosa alla moglie. Gino a sinistra, studiava pochi minuti prima, ma alla prima chiamata della mamma è venuto a tavola. Un ragazzo della sua età ha sempre fame. Maria, a destra, ha apparecchiato la tavola e aiutato la madre in cucina. Questo lo fa volentieri. Sa che la madre ha tanto lavoro in casa e che un po' di aiuto costa poca fatica.

Sulla tavola ci sono piatti, cucchiai, coltelli e forchette. Nel centro c'è un gran piatto di frutta. Tutti mangiano di buon appetito. La signora Ricci è una brava cuoca che si diverte a fare piatti squisiti per la sua famiglia.

DOMANDE

1. Che cosa fa la madre?
2. Da dove viene il padre? Che cosa sta facendo adesso?
3. A chi parla il padre?
4. Che cosa faceva Gino prima di venire a tavola?
5. Perchè ha sempre fame?
6. Che cosa fa volentieri Maria?
7. Perchè lo fa?
8. Quali cose si vedono sulla tavola?
9. Che cosa c'è nel centro della tavola?
10. Come si diverte la signora Ricci?

CONVERSAZIONE

IL BABBO. Come sono contento di essere a casa! È stata una giornata poco divertente in ufficio. Sono stanco morto.

LA MAMMA (*un po' ironica*). Allora è vero che tu lavori un

pò, di tempo in tempo. E pensare che io credevo che tu non facessi altro che parlare con la tua segretaria.

MARIA. Non sei mica gelosa, mamma?

IL BABBO. Va bene, va bene. Voi donne volete tormentarmi, ma veramente è stato un giorno terribile.

GINO. Parliamo di qualche cosa più interessante. Domani è sabato, babbo, andiamo alla spiaggia.

MARIA. Che buona idea! Ho comprato un nuovo costume da bagno. Cosa pensi, mamma? Possiamo andarci tutti?

LA MAMMA. Non ho niente in contrario, e poi il tuo babbo ha bisogno di riposo. Egli potrebbe dormire sulla spiaggia mentre noi nuotiamo.

IL BABBO. Donne! Donne! Donne!

DIRECTED COMMANDS

CARLO. Angelo, domanda a Gino se ha fame.
ANGELO. Hai fame, Gino?
ROBERTO. Mario, dì a Gino che la colazione è pronta.
MARIO. Vieni subito, Gino, la colazione è pronta.
GINO. Mamma, dì a Maria di venire ad aiutarti.
MAMMA. Vieni ad aiutarmi, Maria.
CHIARA. Roberto, domanda a Maria se ha apparecchiato la tavola.
ROBERTO. Hai apparecchiato la tavola, Maria?

FRASI UTILI

portare da mangiare	to bring food
aver fame	to be hungry
di buon appetito	with a good appetite
essere stanco morto	to be dead tired
di tempo in tempo	from time to time
va bene	all right
non ho niente in contrario	I don't see why not
aver bisogno	to need

3. IN CITTÀ

IN CITTÀ

La settimana passata sono andato a trovare un vecchio amico, Roberto Ricci. Egli abita in centro, in un appartamento di lusso, al quinto piano d'un grand' edificio. Sono anni che ho la patente di guida, ma con tutte le automobili che girano in città adesso, è una cosa spaventosa guidare. E non mi parlate del problema del parcheggio! Questo è diventato un gran grattacapo per tutti. Il mio amico preferisce prendere un tram o un autobus. Quando vuole viaggiare più comodo, prende un taxi.

Dopo una lunga chiacchierata e qualche bicchiere del suo vino prelibato abbiamo fatto una lunga passeggiata per la città. Mentre camminavamo lungo i marciapiedi affollati guardavamo i pedoni, il traffico e le vetrine dei diversi negozi. Nella via principale abbiamo preso l'autobus alla fermata e siamo andati al teatro.

DOMANDE

1. Dove sono andato la settimana passata?
2. Dove abita l'amico?
3. Da quando guida il signore?
4. Come è diventato il problema del parcheggio?
5. Che cosa preferisce il mio amico?
6. Che cosa hanno fatto insieme gli amici?
7. Che cosa hanno fatto mentre andavano per la città?
8. Come erano i marciapiedi?
9. Dove sono saliti in autobus?
10. Dove sono andati con l'autobus?

CONVERSAZIONE

GINO. Adesso che hai visto la città, che cosa pensi del traffico?
ROBERTO. È una cosa spaventosa. Quante automobili passano ogni minuto!

GINO. Sì, il numero delle automobili è aumentato tanto.
ROBERTO. Stamattina non potevo trovare un posto di parcheggio.
GINO. Non me ne parlare! È diventato un vero problema. Io preferisco prendere un tram o un autobus.
ROBERTO. Sono molto contento che non abito in città.

FRASI UTILI

andare a trovare	to visit
automobili che girano	cars in circulation

4. IN UNA SCUOLA

IN UNA SCUOLA

Eccoci in una scuola moderna. La classe non è troppo grande. Ogni alunno ha una sedia e un banco. Il professore insegna la matematica. Dopo la spiegazione d'un problema un alunno va alla lavagna e lo risolve. Gli altri lo osservano e lo correggono se fa uno sbaglio. Tutti fanno attenzione. Tutti sono diligenti. Tutti vogliono imparare. Il professore è di media età ed insegna bene. Sa parlare anche tedesco e inglese. Ogni giorno la lezione comincia alle otto.

Gino studia bene questa materia ma preferisce la storia o la lingua italiana. Spera di diventare un insegnante di lingue moderne quando finirà i suoi studi.

DOMANDE

1. Come è la scuola?
2. È grande la classe?
3. Che cosa ha ogni alunno?
4. Quanti alunni vedete?
5. Che cosa fanno gli alunni seduti?
6. Quali lingue parla il professore?
7. A che ora comincia la lezione di matematica?
8. Quale materia preferisce Gino?
9. Che cosa vuole diventare un giorno Gino?
10. Che cosa intende fare quando finirà la scuola?

CONVERSAZIONE FRA DUE AMICI

GINO. Buon giorno, Roberto, sono dieci minuti che ti aspetto.

ROBERTO. Mi dispiace ma non ho sentito la sveglia stamattina!

GINO. Non importa. Ho avuto tempo per ripassare le lezioni.

ROBERTO. Hai imparato quella conversazione dataci ieri?

GINO. Sì, è abbastanza facile. Le frasi non sono troppo lunghe.

ROBERTO. Allora, ripetiamola mentre andiamo a scuola. Comincia!

FRASI UTILI

fare uno sbaglio   to make a mistake
fare attenzione   to pay attention
sono dieci minuti   I have been waiting
   che ti aspetto   ten minutes for you
mi dispiace   I am sorry
non importa   it doesn't matter

5. IN UN NEGOZIO

IN UN NEGOZIO

Oggi la signora Ricci va con sua figlia, Maria, in città per fare la spesa. Ogni venerdì va allo stesso negozio con una lunga lista di cose da comprare. Nel quadro vediamo Maria con un recipiente pieno di provviste già comprate. Il commesso le controlla. La signora Ricci cerca due o tre qualità di formaggio. Tutti in famiglia mangiano volentieri il formaggio italiano e la signora compra sempre le marche preferite.

Quando essa ha comprato tutto, il commesso mette ogni cosa in una scatola grande e la porta alla macchina che aspetta davanti al negozio.

La signora lo ringrazia e ritorna a casa. Maria aiuta la mamma a mettere ogni cosa in ordine nell'armadio in cucina.

DOMANDE

1. Perchè è andata in città la signora?
2. Quando va a fare la spesa la signora?
3. Con chi è andata?
4. Comprano molte cose ogni venerdì?
5. Che cosa fa il commesso?
6. Quale marca di formaggio preferisce la famiglia?
7. Che cosa fa il commesso con le provviste comprate?
8. Che cosa fa Maria quando ritornano a casa?
9. Dove mettono le provviste?
10. Come mettono le cose nell'armadio?

CONVERSAZIONE PRIMA

CHIARA (*Appena arrivata dall'Inghilterra*). Vai oggi con la mamma a fare la spesa?

MARIA. Certo. Il primo negozio che dobbiamo visitare è la macelleria.

CHIARA. Mi dicevano in Inghilterra che la carne costa cara in Italia. È vero?

MARIA. Altro che! La mamma brontola sempre della somma che deve pagare ogni settimana.

CHIARA. Dove andiamo a comprare della frutta e della verdura?

MARIA. Il fruttivendolo vicino alla stazione ha sempre roba fresca e abbiamo bisogno di insalata; legumi, patate, arance, e mele.

CHIARA. Ma guarda qui, Maria; che torte magnifiche in questa pasticceria. Fanno venire l'acquolina in bocca soltanto a guardare.

MARIA. Suvvia! Ritorniamo a casa! Quei dolci non sono per te. Sei già un po'grassa.

CONVERSAZIONE SECONDA

ADELE. Dove andiamo adesso? Facciamo una passeggiata?

MARIA. Una specie di passeggiata. Andiamo con la mamma a fare la spesa.

ADELE. In quale negozio dobbiamo entrare prima?

MARIA. La macelleria. La mamma già brontola per quanto dovrà spendere per la carne.

ADELE. Ma che vocione ha quel fruttivendolo! Lo si può sentire un chilometro distante.

MARIA. Ma vieni a vedere che frutta magnifica vende. Vedi? Non ti viene l'acquolina in bocca?

ADELE. Hai ragione. Non si sa che cosa scegliere.

MARIA. Prima di ritornare a casa voglio comprare un paio di dischi.

ADELE. Ottima idea! Lo zio mi ha regalato un nuovo giradischi. Non l'hai sentito ancora suonare.

FRASI UTILI

fare la spesa	to go shopping
Altro che!	I should think so! You can say that again!
mi fa venire l'acquolina in bocca	it makes my mouth water
Hai ragione	You are right
Ottima idea!	A great idea!

6. IN SALOTTO

IN SALOTTO

La sera, dopo cena, piace alla famiglia Ricci restare insieme in salotto a sentire la radio, guardare la televisione o scambiare le notizie del giorno.

Quando Gino e Maria hanno finito i loro compiti di scuola ascoltano con piacere le notizie del giornale radio e una o due volte per settimana i genitori permettono loro di guardare la televisione.

Sabato o domenica quando c'è una buona commedia tutti si attardano un poco per guardarla. Nel quadro davanti a noi, vediamo che tutti leggono. Gino aveva comprato un nuovo libro e sembra assorbito in un racconto. Il padre sta leggendo il giornale; quando l'avrà finito si metterà anche lui a leggere un libro interessante. Maria è seduta sul tappeto vicino alla madre e finisce un romanzo.

Quando i figli sono andati a letto i genitori mettono da parte i loro libri, parlano del più e del meno per qualche minuto mentre bevono una tazza di tè. Poi si coricano anche essi per fare un bel sonno, la notte. Domani porterà più lavoro, più movimento, più stanchezza.

DOMANDE
1. Quante persone si trovano in salotto?
2. Dove è la madre e che cosa fa?
3. Quando sono i membri della famiglia spesso insieme?
4. Leggono sempre?
5. Che cosa devono fare prima i ragazzi?
6. Come sapete che il televisore è ben controllato?
7. Che cosa tiene in mano Gino?
8. Come è occupato il padre?
9. Quando i figli sono andati a letto, che cosa fanno i genitori?
10. Dite qualche cosa dell'arredamento del salotto.

CONVERSAZIONE PRIMA

IL PADRE (*si alza dalla tavola*). Sei proprio una cuoca magnifica, cara. Quel pollo era veramente delizioso.

LA MADRE (*scherzando*). Voi uomini! Siete interessati solamente alle cose che potete mangiare.

IL PADRE. Non è vero. Mentre tu e Maria lavate i piatti Gino ed io andiamo in salotto a sentire il giornale radio.

LA MADRE (*alla figlia*). Come sono fortunati gli uomini. Si riposano e si divertono e io devo lavorare ancora.

MARIA. Ti aiuto mamma. In pochi minuti tutto sarà finito e potremo fare la stessa cosa.

LA MADRE. Lo so, cara. Ma noi donne dobbiamo sempre dire qualche cosa.

CONVERSAZIONE SECONDA

GINO. Finalmente ho finito quella traduzione, Maria.

MARIA. Bravo! Che cosa faremo? Ascoltare la radio o provare quei nuovi dischi?

GINO. Sentire i dischi naturalmente. Il babbo è ancora nella sala da pranzo, così possiamo sentirli mentre restiamo sdraiati sul tappeto nel salotto.

MARIA. Che ottima idea! Va a prendere il giradischi, i dischi io li tengo qui nel cassetto.

GINO. Come funziona bene questo giradischi.
(*Dopo dieci minuti*) Ecco il babbo che arriva per il suo programma favorito alla televisione.

IL PADRE. Ma ragazzi! Come potete sentire i dischi sdraiati per terra? Non sono comode le poltrone?

GINO. Ma babbo, restare così è di moda con la gioventù di oggigiorno.

IL PADRE. Bella moda, devo dire, ma c'è una commedia bellissima alla televisione stasera. Potete restare se volete.

MARIA. Grazie, babbo, grazie. Prima metterò via i dischi, non voglio romperli.

FRASI UTILI

permettono loro di guardare la televisione	they let them watch television
mettersi a leggere	to start reading
parlare del più e del meno	to speak of this and that
fare un bel sonno	to sleep well
metterò via i dischi	I will put away the records

7. SULLA SPIAGGIA

SULLA SPIAGGIA

Ogni paese del mondo sfrutta al massimo le stazioni balnearie, cioè quelle località che hanno una buona spiaggia. Durante la stagione calda molte persone di ogni età vanno al mare per divertirsi, per nuotare, per abbronzarsi. Da ogni parte si vedono persone che vengono, che vanno, che si sdraiano su un asciugamano enorme o che si alzano per tuffarsi nelle onde.

Qui si vede un ragazzo che ascolta una canzone popolare da un piccolo apparecchio radio a transistor, che ha posto sulla sabbia. Un giovanotto e la sua fidanzata giocano con una grande palla.

Tutto il giorno c'è un viavai di gente di ogni età. I bambini passano quasi tutte le loro ore libere sulla spiaggia. Poco lontano dalla spiaggia si trovano alberghi e case dove si può affittare una camera o un appartamento per il periodo delle vacanze.

DOMANDE

1. Dove vanno molte persone durante l'estate?
2. Perchè vanno al mare?
3. Che cosa si vede al mare?
4. Su che cosa si sdraiano?
5. Perchè si alzano?
6. Che cosa fa il ragazzo più vicino a noi?
7. Chi gioca con la grande palla?
8. Chi passa molto tempo sulla spiaggia?
9. Dove prendono alloggio i visitatori?
10. Per quanto tempo affittano una camera o un appartamento?

CONVERSAZIONE PRIMA

Gino e il suo amico Roberto sono arrivati a Rimini. Fa molto caldo e la spiaggia è affollata.

GINO. Ma che folla! Scommetto che ci sarà qualche difficoltà nel trovare un posteggio.

ROBERTO. Sciocchezza! Hai parlato troppo presto. Eccone uno proprio vicino alla spiaggia.

GINO. Guarda quelle due ragazze che ci vengono incontro! Come sono abbronzate!

ROBERTO. Dopo due settimane al sole anche noi saremo cosi.

GINO. Che viavai di gente! Non mi ricordo d'aver mai visto tanta gente in giro.

ROBERTO. Prendiamo la nostra roba e andiamo a trovare un posto sulla spiaggia.

GINO. Bene. Non dimenticare il mio apparecchio radio a transistor. Io porterò l'ombrellone, la valigia ed i nostri asciugamani.

ROBERTO. Ora andrò subito alla pensione per dire alla padrona che siamo arrivati e che vogliamo mangiare a mezzogiorno.

GINO. Una buona idea! Fra poco avremo una fame da lupo.

CONVERSAZIONE SECONDA

LA MADRE. 'Svegliati poltrone. Sono già le otto. È ora di alzarti.

GINO. Ma mamma sono cosi stanco. Ancora due minuti ti prego.

LA MADRE. Hai dimenticato che oggi vai al mare con Roberto?

GINO. Già, come sono grullo! Avevo dimenticato.

LA MADRE. Affrettati!' Roberto è già arrivato. Avrai una magnifica giornata di sole.

GINO. Eccomi Roberto. Mi dispiace che ti abbia fatto aspettare, un pochino.

ROBERTO. Un pochino? Ma sai che sono quindici minuti che ti aspetto? Che dormiglione! Vieni subito. Buon giorno signora. Saremo a casa alle sette.

FRASI UTILI

aver una fame da lupo	to be ravenous
tanta gente in giro	so many people around
prendere alloggio	to get a room
come sono grullo	What a blockhead I am
mi dispiace che ti abbia fatto aspettare	I'm sorry to have kept you waiting

8. LA STAZIONE

LA STAZIONE

Nella grande stazione non c'è mai riposo. Giorno e notte treni che arrivano e che partono, empiono l'aria di fischi acuti. Sotto la tettoia spiccano i cartelli indicatori scritti a grandi lettere. I segnali luminosi che annunciano i treni si accendono e si spengono. Le rotaie luccicano come striscie d'argento.

Un treno sta per partire. Ecco, comincia a muoversi lentamente.

Appena fuori della tettoia la locomotiva lancia un fischio lungo e acuto, e il treno comincia la sua corsa ardita e gioiosa sui binari lucidi che lo guideranno lontano lontano.

Qui si vede un treno fermo sul binario. Un facchino porta delle valigie. Ce ne sono ancora tre sulla piattaforma. Proprio vicino c'è un portabagagli.

Il signore va verso il chiosco di libri e di giornali per comprare qualche cosa da leggere durante il viaggio. Ogni stazione ha una biglietteria, una sala d'aspetto, un deposito bagagli, un ufficio oggetti smarriti, un ufficio informazioni, un tabellone arrivi e partenze.

DOMANDE

1. Dove è il treno?
2. Dove si trovano i passeggeri?
3. Che cosa fa il facchino?
4. Come trasporta il bagaglio pesante?
5. Dove va il signore?
6. Che cosa desidera comprare?
7. Che cosa è una biglietteria?
8. Perchè ci sono sale d'aspetto?
9. Perchè si va in un ufficio oggetti smarriti?
10. Dove si controllano gli arrivi e le partenze?

CONVERSAZIONE

Luisa e Chiara fanno un lungo viaggio in treno. Chiara aspetta Luisa già da quindici minuti e guarda ansiosamente il suo orologio e si morde le labbra.

CHIARA. Eccoti finalmente! Come sei in ritardo! Il treno parte fra cinque minuti.

LUISA. Perdonami, cara, ma non era colpa mia. C'era un incidente stradale e il traffico non poteva procedere.

CHIARA. Fa presto! Montiamo in carrozza. Come sono contenta che abbiamo prenotato i posti.

LUISA. Facchino! Per favore, metta queste valigie nella carrozza numero cinque, ecco i biglietti.

FACCHINO. Subito, signorina. Bisogna affrettarsi. Il treno sta per partire.

LUISA. Grazie tante. Non c'è altro. Questo è per Lei. (*Gli dà una mancia*).

FACCHINO. Grazie, signorina, e buon viaggio.

CHIARA. Ascolta! Ecco il fischio. Il treno sta per partire.

LUISA. Grazie al cielo! Sono mezzo morta. Non voglio fare altro che sonnecchiare.

CHIARA. Sei proprio una dormigliona. Io intanto leggerò queste riviste che ho comprato al chiosco.

FRASI UTILI

stare per partire	to be on the point of going
essere in ritardo	to be late
bisogna affrettarsi	one must hurry
grazie tante	many thanks
grazie al cielo	thank heavens

9. LA MALATA

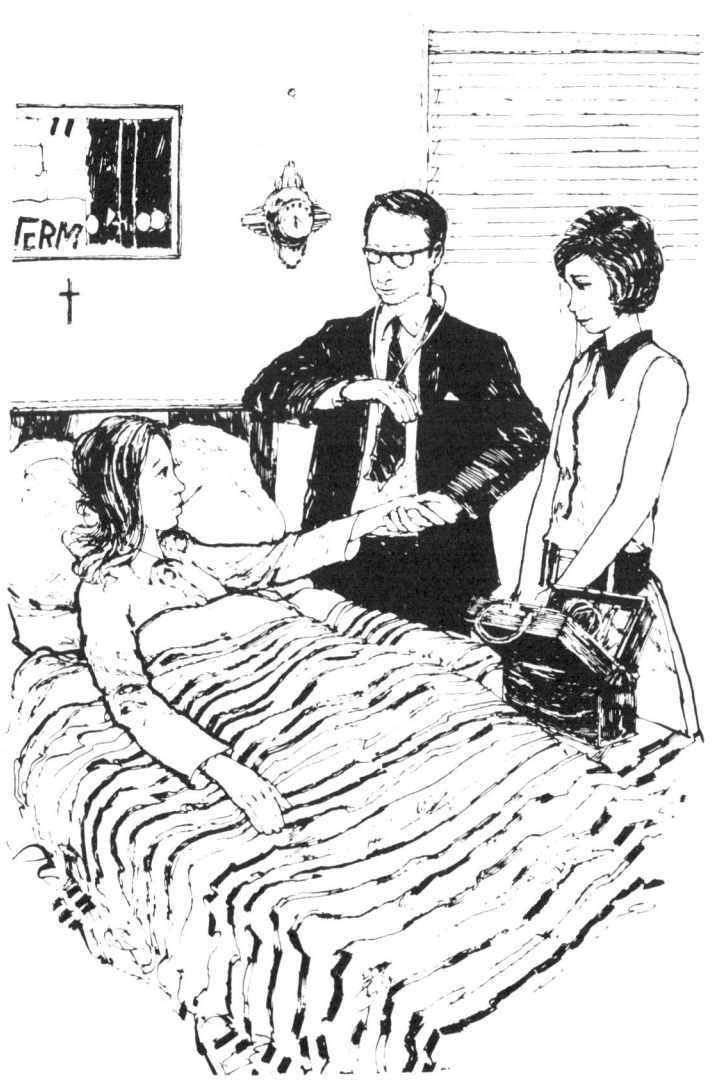

LA MALATA

Ieri sera Maria non si sentiva bene. Disse alla mamma che aveva mal di testa e si era coricata più presto del solito. Stamattina quando la madre è andata a svegliarla, ha visto subito che sua figlia non stava bene. Aveva una febbre alta. Dicendo a sua figlia di non muoversi ha subito telefonato al dottore, un amico della famiglia e un uomo molto bravo nella sua professione.

Il medico è arrivato alle otto e subito si è messo a visitare accuratamente la malata.

La signora Ricci non poteva mangiare la colazione tanto era in pensiero per sua figlia. Finalmente il dottore aveva finito. Aveva trovato che Maria aveva un principio di bronchite e era molto stanca dal troppo studiare. Aveva ordinato delle medicine, dieta leggera e riposo completo per un paio di settimane. Se seguirà le prescrizioni ordinate guarirà fra due settimane. La signora ringraziò il medico e lo accompagnò alla porta.

DOMANDE

1. Che cosa disse Maria alla mamma?
2. Che cosa ha fatto la madre stamattina?
3. Che cosa aveva Maria?
4. Che cosa disse la madre alla figlia?
5. A chi ha telefonato?
6. Che cosa ha fatto subito il medico?
7. Perchè la madre non poteva mangiare la colazione?
8. Di che cosa soffriva Chiara?
9. Perchè era cosi stanca?
10. Che cosa aveva ordinato il medico?

CONVERSAZIONE

La signora entra nella camera di Maria per svegliarla. Ma appena toccata la fronte che bruciava e visto gli occhi febbricitanti è andata di corsa al telefono.

LA SIGNORA RICCI (*stacca il ricevitore e forma il numero*). Buon giorno, dottore. Qui parla la signora Ricci. Le sarebbe possibile di venire stamattina a visitare mia figlia – non sta affatto bene.

IL MEDICO. Certo. – Verrò in pochi minuti. Stavo proprio per uscire.

LA SIGNORA. Grazie tante, Dottore. Arrivederci (*Depone il ricevitore.*)

(*Il medico arriva e suona il campanello. La signora apre la porta.*)

IL MEDICO. Buon giorno, Signora. Eccomi come promesso. Vediamo sua figlia che non vuole godere questo giorno magnifico.

LA SIGNORA. Da questa parte, Dottore. Spero che non sia qualche cosa seria; oggigiorno non si sa mai . . .

IL MEDICO. Via, cara signora, sono sicuro che non sarà niente di grave – Ah! eccola.

MARIA. Buon giorno, Dottore. Ho un mal di testa – una sete e delle volte stento a respirare. Inoltre mi sento così stanca che non voglio fare niente.

IL MEDICO. Vediamo.

(*La visita con cura.*)

IL MEDICO (*alla signora*). Non c'è ragione di essere allarmata. Sua figlia ha un principio di bronchite e deve restare a letto.

LA SIGNORA. Per quanto tempo?

IL MEDICO. Almeno due settimane, perchè è molto stanca dal troppo studiare! Ecco la prescrizione. Ciao Maria, buon giorno, Signora e saluti a suo marito.

LA SIGNORA. Arrivederci, Dottore e molte grazie.

FRASI UTILI

aver mal di testa	to have a headache
più presto del solito	earlier than usual
essere in pensiero per	to be worried about
andare di corsa	to hurry
stavo proprio per uscire	I was just going out
aver sete	to be thirsty
delle volte	at times

10. IL VENTO

IL VENTO

Il vento esce dalla sua casa fra le nuvole e comincia la corsa sulla terra e sul mare.

Quando soffia dolce e leggero, increspa appena le acque, agita un poco le foglie degli alberi e i capelli sulla fronte dei bimbi. Ma quando soffia furioso, alza sul mare onde altissime e le rovescia con un rombo terribile, strappa foglie e fiori alle piante e, qualche volta, sradica perfino gli alberi e li abbatte.

Però, se non ci fosse, sarebbe un guaio. Chi, infatti, porta il dono prezioso dell'acqua che mantiene la vita? Il vento trasporta le nuvole lontano, verso le terre che aspettano dal cielo l'acqua benefica che le disseti.

La città invoca un po' di vento nelle ore di calore, quando l'asfalto scotta. Qualche volta sembra che il vento non senta il richiamo della città, qualche volta, invece, piglia gusto a soffiare a più non posso, si diverte a far cigolare gli usci, a far danzare la biancheria sciorinata al sole, a far ruzzolare i cappelli nella polvere della strada. È proprio un mattacchione.

DOMANDE

1. Dove ha la sua casa il vento?
2. Come soffia prima?
3. Che cosa agita il vento?
4. Che cosa accade quando soffia forte?
5. A che cosa strappa foglie e fiori?
6. Che dono ci porta il vento?
7. Che cosa aspettano le terre dal cielo?
8. Quando è bello sentire il vento in città?
9. Che cosa fa l'asfalto?
10. Che scherzo fa qualche volta il vento?

FRASI UTILI

pigliare gusto a	to take pleasure in
a più non posso	with all its might

VOCABULARY

a, to
abbastanza, enough
abbattere, to knock down
abbiamo, *see* avere
abbronzarsi, to get brown
abitare, to live
accadere, to happen
accendersi, to switch on
accompagnare, to accompany
accuratamente, carefully
acqua (*f.*), water
acquarello (*m.*), water-colour
acuto, shrill
adesso, now
affatto, at all
affittare, to rent
affollato, crowded
affrettarsi, to hurry
agitare, to agitate
aiutare, to help
aiutato, *p.p.* of aiutare
aiuto (*m.*), help
albergo (*m.*), hotel
albero (*m.*), tree
alla, to the
allarmato, alarmed
alloggio (*m.*), accommodation
allora, now
almeno, at least
altissimo, very high
alto, high
altro, another
alunno (*m.*), pupil
alzarsi, to get up (*out of bed*)
amico (*m.*), friend
ammobiliato, furnished
anche, also
ancora, still, yet
andare, to go; **vai**, you go; va, he goes; **andiamo**, we go; andò, he went
andiamo, *see* andare
andò, *see* andare
anno (*m.*), year
annunciare, to announce
ansiosamente, anxiously
apparecchiato, *p.p.* of apparecchiare
apparecchiare, to lay (*table*)
apparecchio (*m.*), set
appartamento (*m.*), flat
appassionato, keen
appena, just
appetito (*m.*), appetite
aprire, to open
arancia (*f.*), orange
ardito, hardy
argento (*m.*), silver
aria (*f.*), air
armadio (*m.*), cupboard
arredamento (*m.*), furnishing
arrivare, to arrive
arrivederci, goodbye
arrivo (*m.*), arrival
asciugamano (*m.*), towel
ascoltare, to listen
asfalto (*m.*), asphalt
aspettare, to wait
aspetto: sala d'aspetto, waiting-room
assorbito, absorbed
attardarsi, to stay up late
attenzione (*f.*), attention
aumentare, to increase

autobus (*m.*), bus
automobile (*m.*), car
avere, to have; **ho**, I have;
  hai, you have; **ha**, he, she has;
  abbiamo, we have;
  hanno, they have
avuto, *p.p.* of **avere**

babbo (*m.*), daddy
bagaglio (*m.*), luggage; **deposito bagaglio**, left-luggage office
bagno: stanza (*f.*) **da bagno**, bathroom
balneario (*m.*), bathing
bambino (*m.*), child
banco (*m.*), bank
bello, beautiful
bene, well; good
beneficare, to benefit
bere, to drink; **bevono**, they drink
bevono, *see* **bere**
biancheria (*f.*), washing
bicchiere (*m.*), glass
biglietteria (*f.*), ticket-office
biglietto (*m.*), ticket
bimbo (*m.*), small child
binario (*m.*), railway line
bisogna (*f.*), need
bocca (*f.*), mouth
bravo, good
bronchite (*f.*), bronchitis
brontolare, to grumble
bruciare, to burn
buono, good

caldo, hot
calore (*m.*), heat
camera (*f.*), room
camminare, to walk
campanello (*m.*), bell
canzone (*f.*), song
capitolo (*m.*), capital
cappello (*m.*), hat
carne (*f.*), meat
caro, dear
carrozza (*f.*), carriage
cartello (*m.*), poster, sign
casa (*f.*), house, home
cassetto (*m.*), drawer
c'è, there is
cena (*f.*), supper
centro (*m.*), centre
cercare, to look for
certo, certain
che, which
chi, who
chiacchierata (*f.*), chat
chiamata (*f.*), call
chilometro (*m.*), kilometre
chiosco (*m.*), kiosk
ci, there; us; **eccoci**, here we are
cielo (*m.*), sky
cigolare, to creak
cinque, five
cioè, that is
città (*f.*), city
classe (*f.*), class
colazione (*f.*), breakfast; meal
colpa (*f.*), blame
coltello (*m.*), knife
come, how
cominciare, to begin
commedia (*f.*), comedy
commesso (*m.*), shop-assistant
comodo, comfortable
compagnia (*f.*), company
completo, complete

compito (*m.*): **compito di scuola**, homework
comprare, to buy
con, with
contento, happy
contrario, contrary
controllare, to check
conversazione (*f.*), conversation
coricarsi, to go to bed
correggere, to correct
corsa (*f.*), course
cosa (*f.*), thing
così, thus, so
costare, to cost
costume (*m.*) **da bagno**, bathing costume
credere, to believe
cucchiaio (*m.*), spoon
cucina (*f.*), kitchen
cuoca (*f.*), cook
cura (*f.*), care

da, from
danzare, to dance
dare, to give
davanti, in front
delizioso, delicious
dello, of the
depone, *see* **deporre**
deporre, to put down; **depone**, he puts down
deposito (*m.*), deposit
desiderare, to want
destra, right
deve, *see* **dovere**
di, of
dieci, ten
dieta (*f.*), diet
difficoltà (*f.*), difficulty
diligente, diligent
dimenticare, to forget
dimostrare, to show
dire, to say
disco (*m.*), record
dispiacere, to be sorry
disse, *see* **dire**
dissetare, to quench a thirst
distante, distant, away
diventare, to become
diverso, different
divertente, amusing
divertirsi, to enjoy oneself
dobbiamo, *see* **dovere**
dolce, sweet
dolci (*m. pl.*), sweets
domani, tomorrow
domenica (*f.*), Sunday
donna (*f.*), woman
dono (*m.*), gift
dopo, after
dormiglione (*m.*), **dormigliona** (*f.*), late riser, sleepyhead
dormire, to sleep
dottore (*m.*), doctor
dovere, to be obliged, must, ought; **deve**, he must; **dobbiamo**, we must
due, two
durante, during

e, and
è, *see* **essere**
eccezionale, exceptional
ecco, there is, here is
ed, and
edificio (*m.*), building
egli, he
empire, to fill

enorme, enormous
entrare, to enter
era, *see* **essere**
esce, *see* **uscire**
espressione (*f.*), expression
essa, she
essere, to be; **sono**, I am, they are; **sei**, you are; **è**, he, she is; **siamo**, we are; **saremo**, we shall be; **era**, he was; **sia**, he is (*pres. subj.*); **fosse**, he was (*imp. subj.*)
essi, they
età (*f.*), age; **di media età**, middle-aged

fa, ago
facchino (*m.*), porter
facessi, *see* **fare**
facile, easy
fame (*f.*), hunger
famiglia (*f.*), family
fare, to do; to make; **facessi**, you were doing (*imp. subj.*)
fatica (*f.*), toil
fatto, *p.p.* of **fare**
favore (*m.*), favour; **per favore**, please
febbre (*f.*), fever
febbricitante, feverish
fermata (*f.*), stop
fermo, stationary
fidanzata (*f.*), fiancée
figlia (*f.*), daughter
figlio (*m.*), son
finalmente, finally
finestra (*f.*), window
finire, to finish; **finisce**, he finishes
finisce, *see* **finire**
fiore (*m.*), flower
fischio (*m.*), whistle
foglia (*f.*), leaf
folla (*f.*), crowd
forchetta (*f.*), fork
forma (*f.*), form
formaggio (*m.*), cheese
formare, to dial
fortunato, lucky
fosse, *see* **essere**
fra, in (*time*)
frase (*f.*), phrase
frequentare, to frequent, attend
fresco, fresh
fronte (*m.*), forehead
frutta (*f.*), fruit
fruttivendolo (*m.*), fruit-seller
funzionare, to work
fuori, outside
furioso, furiously

geloso, jealous
genitori (*m. pl.*), parents
gente (*f.*), people
già, already; yes, indeed, that's right
giocare, to play
gioia (*f.*), joy
gioioso, joyful
giornale (*m.*), daily paper
giornata (*f.*), day
giorno (*m.*), day
giovanotto (*m.*), young man
gioventù (*f.*), youth
giradischi (*m.*), record-player
girare, to go around
giro (*m.*), turn
gli, the; to him

godere, to enjoy
grande, big
grasso, fat
grattacapo (*m.*), headache
grave, serious
grazie (*f. pl.*), thank you
grullo (*m.*), dolt, blockhead
guaio (*m.*), misfortune, calamity
guardare, to look at
guarire, to cure
guidare, to drive
gusto (*m.*), taste, liking

ho, hai, ha, hanno, *see* **avere**

i (*m. pl.*), the
idea (*f.*), idea
ieri, yesterday
il (*m.*), the
imparare, to learn
importante, important
importare, to matter
in, in
incidente (*m.*), accident
incontro, towards
increspare, to ruffle
indicatore (*m.*), indicator
infatti, in fact
informazione (*f.*), information
inglese, English
inoltre, besides
insalata (*f.*), salad
insegnante (*m.*), teacher
insegnare, to teach
insieme, together
intanto, meanwhile
interessante, interesting
interessato, interested
intimo, intimate

invece, instead
invocare, to appeal for
io, I
ironico, ironic
italiano, Italian

la (*f.*), the
labbra (*f. pl.*), lips
lampada (*f.*), lamp
lanciare, to let out
lavagna (*f.*), blackboard
lavarsi, to wash (oneself)
lavorare, to work
lavoro (*m.*), work
le (*f. pl.*), the
leggere, to read
leggero, light
legume (*m.*), vegetable
Lei, you
lentamente, slowly
lettera (*f.*), letter
letteratura (*f.*), literature
letto (*m.*), bed
lettore (*m.*), reader
lezione (*f.*), lesson
libero, free
libro (*m.*), book
lingua (*f.*), tongue, language
lista (*f.*), list
lo, the
località (*f.*), locality
locomotiva (*f.*), train
lontano, far
loro, their, them
luccicare, to shine
luce (*f.*), light
lucido, bright
luminoso, flashing
lungo, along; long

lupo (*m.*), wolf
lusso (*m.*), luxury

ma, but
macchina (*f.*), machine
macelleria (*f.*), butcher's shop
madre (*f.*), mother
magnifico, magnificent
mai, never
mal di testa, headache
malato (*m.*), sick person
mamma, mummy
mancia (*f.*), tip
mangiare, to eat
manica (*f.*), sleeve
mantenere, to maintain, keep; **mantiene**, he keeps
mantiene, *see* **mantenere**
marca (*f.*), brand
marciapiede (*m.*), pavement
mare (*m.*), sea
marito (*m.*), husband
massimo (*m.*), maximum
matematica (*f.*), mathematics
materia (*f.*), material
mattacchione (*m.*), joker
media (*f.*), medium
medicina (*f.*), medicine
medico (*m.*), doctor
meglio, better
mela (*f.*), apple
meno, less
mentre, while
messo, *p.p.* of **mettere**
mettere, to put; **mettersi a**, to start; **si mise a**, he started
mezzo, half
mezzogiorno (*m.*), midday
mica, at all

minuto (*m.*), minute
mise, *see* **mettere**
mobilia (*f.*), furniture
moda (*f.*), fashion; **di moda**, 'with it', fashionable
moderno, modern
moglie (*f.*), wife
molto, much
mondo (*m.*), world
montare, to go up
mordersi, to bite oneself
morto, dead
movimento (*m.*), movement
muoversi, to move (oneself)

naturalmente, of course
ne, of it
negozio (*m.*), shop
nello, in the
niente, nothing
noi, we
non, what
notizie (*f. pl.*), news
notte (*f.*), night
numero (*m.*), number
nuotare, to swim
nuovo, new
nuvola (*f.*), cloud

o, or
occhi (*m. pl.*), eyes
oggetto (*m.*), object
oggi, today
ogni, each
oggigiorno, nowadays
ombrellone (*m.*), beach umbrella
onda (*f.*), wave
ora (*f.*), hour
ordinare, to order

ordine (*m.*), order
orologio (*m.*), watch
osservare, to observe
otto, eight

padre (*m.*), father
padrona (*f.*), owner
paese (*m.*), country
pagare, to pay
paio (*m.*), pair
palla (*f.*), ball
parcheggio (*m.*), parking
parete (*f.*), wall
parlare, to speak
parte (*f.*), side, part
partenza (*f.*), departure
partire, to leave
passare, to pass
passato, past
passeggiata (*f.*), walk
passeggero (*m.*), passenger
pasticceria (*f.*), pastry shop
patata (*f.*), potato
patente (*f.*), licence
pedone (*m.*), pedestrian
pensare, to think
pensiero (*m.*), thought
pensione (*f.*), small hotel
per, for
perchè, because; why
perdonare, to forgive
perfino, even
periodo (*m.*), period
permettere, to allow
però, however, but
persona (*f.*), person
pesante, heavy
piacere, to please
piacere (*m.*), pleasure

piano (*m.*), floor
pianta (*f.*), plant
piattaforma (*f.*), platform
piatto (*m.*), plate
pieno, full
pigliare, to take
più, more
pochino: un pochino, a little
po', poco, little
poi, then
pollo (*m.*), chicken
poltrone, lazy
polvere (*f.*), dust
popolare, popular
porre, to place
porta (*f.*), door
portabagagli (*m.*), trolley
portare, to carry
possiamo, *see* potere
possibile, possible
posso, *see* potere
posteggio (*m.*), place
posto (*m.*), place, seat (*in train*)
posto, *p.p.* of porre
potere, to be able; posso, I can; possiamo, we can; potrebbe, he would be able
pranzo: sala (*f.*) da pranzo, dining-room
preferenza (*f.*), preference
preferire, to prefer
pregare, to entreat, beg; ti prego, please
prelibato, excellent
prendere, to take, get
prenotare, to reserve
prescrizione (*f.*), prescription
preso, *p.p.* of prendere
presto, soon, quickly

prezioso, precious
prima di, before
primo, first
principale, main
principio (*m.*), beginning
problema (*m.*), problem
procedere, to proceed
professione (*f.*), profession
professore (*m.*), teacher
promesso, *p.p.* of **promettere**
promettere, to promise
proprio, own, just
provare, to try, test
provvista (*f.*), supply
può, *see* **potere**

quadro (*m.*), picture
qualche, some
qualità (*f.*), quality
quando, when
quanto, how much
quasi, almost
quei, those
quello, that
questo, this
qui, here
quindici, fifteen
quinto, fifth

raccontare, to narrate, tell
racconto (*m.*), story
ragione (*f.*), reason
ragazzo,(*m.*), boy; **ragazzi**, children
recipiente (*m.*), container
regalare, to give (*a present*)
restare, to stay
respirare, to breathe
ricevitore (*m.*), receiver

richiamo (*m.*), call
ricordarsi, to remember
ringraziare, to thank
ripassare, to go over
ripetere, to repeat
riposarsi, to rest
riposo (*m.*), rest
risolvere, to resolve
ritardo (*m.*) delay
ritornare, to return
rivista (*f.*), magazine
roba (*f.*), stuff, material
romanzo (*m.*), novel
rombo (*m.*), roar
rompere, to break
rotaia (*f.*), rail
rovesciare, to overturn
ruzzolare, to roll

sa, *see* **sapere**
sabato (*m.*), Saturday
sabbia (*f.*), sand
sala (*f.*), room; **sala da pranzo**, dining-room
salotto (*m.*), sitting-room
saluto (*m.*), greeting
sapere, to know; **sa**, he knows
saremo, *see* **essere**
sbaglio (*m.*), mistake
scambiare, to exchange
scatola (*f.*), box
scegliere, to choose
scena (*f.*), scene
scherzare, to joke
scherzo (*m.*), joke
sciocchezza (*f.*), nonsense
sciorinato, hung up
scommettere, to bet
scottare, to burn

scritto, *p.p.* of scrivere
scrittore (*m.*), writer
scrivere, to write
scuola (*f.*), school
sdraiarsi, to lie down
se, if
sedia (*f.*), seat
sedere, to sit down
seduto, *p.p.* of sedere
segnale (*m.*), signal
segretaria (*f.*), secretary
seguire, to follow
sei, *see* essere
sembrare, to seem
semplice, simple
sempre, always
sentire, to hear; to feel
sera (*f.*), evening
serio, serious
sete (*f.*), thirst
sette, seven
settimana (*f.*), week
sfruttare, to exploit
si, oneself
sì, yes
sia, *see* essere
siamo, *see* essere
sicuro, sure
signora, Mrs; lady
signore, Mr; gentleman
signorina, Miss; lady
sinistra, left
smarrito, lost
soffiare, to blow
soffrire, to suffer
solamente, only
sole (*m.*), sun
solito, usual
soltanto, only

somma (*f.*), sum
sonnecchiare, to sleep
sonno (*m.*), sleep
sono, *see* essere
sotto, under
spaventoso, frightening
specie (*f.*), sort
spegnere, to switch off
spendere, to spend
sperare, to hope
spesa (*f.*), shopping
spesso, often
spiaggia (*f.*), beach
spiccare, to stand out
spiegazione (*f.*), explanation
squisito, exquisite
sradicare, to uproot
staccare, to lift up; to separate
stagione (*f.*), season
stamattina, this morning
stanchezza (*f.*), tiredness
stanco, tired
stanza (*f.*), room
stare, to be
stasera, this evening
stato, *p.p.* of essere
stazione (*f.*), station
stentare, to find it hard
stesso, same
storia (*f.*), history
strappare, to wrench
strada (*f.*), road
stradale (*adj.*), street
striscia (*f.*), strip
studiare, to study
studio (*m.*), study
su, on
subito, at once
sul, on the

suo, his, her
suonare, to ring, sound
suvvia, come on
sveglia (*f.*), alarm-clock
svegliare, to wake

tabellone (*m.*), sign-board; **tabellone arrivi e partenze**, arrivals and departures board
talento (*m.*), talent
tanto, so much
tappeto (*m.*), carpet
tavola (*f.*), table
tavolino (*m.*), small table
tavolo (*m.*), table
tazza (*f.*), cup
tè (*m.*), tea
teatro (*m.*), theatre
tedesco, German
telefonare, to telephone
televisione (*f.*), television
televisore (*m.*), T.V. set
tempo (*m.*), time
terra (*f.*), country, land
terribile, terrible
testa (*f.*), head
tettoia (*f.*), roof (*of station*)
toccare, to touch
tormentare, to torment
torta (*f.*), cake
traduzione (*f.*), translation
traffico (*m.*), traffic
trasportare, to transport
tre, three
treno (*m.*), train
troppo, too much
trovare, to find
tu, you
tuffarsi, to dive

tuo, your
tutto, all

ufficio (*m.*), office; **ufficio oggetti smarriti**, lost-property office
un, a, one
università (*f.*), university
uomo (*m.*), man; **uomini**, men
uscio (*m.*), door
uscire, to go out; **esce**, he goes out

va, *see* **andare**
vacanza (*f.*), holiday
vai, *see* **andare**
valigia (*f.*), suitcase
vecchio, old
vedere, to see
vendere, to sell
venerdì (*m.*), Friday
vengono, *see* **venire**
venire, to come; **vengono**, they come; **verrò**, I shall come
vento (*m.*), wind
venuto, *p.p.* of **venire**
veramente, truly
verdura (*f.*), vegetables
vero, real, true
verrò, *see* **venire**
verso, towards
vestirsi, to dress (oneself)
vetrina (*f.*), shop-window
via (*f.*), street, way
viaggiare, to travel
viaggio (*m.*), journey
viavai (*m.*), coming and going
vicino, close
vino (*m.*), wine

visitare, to visit; to examine
visto, *p.p.* of **vedere**
visitatore (*m.*), visitor
vita (*f.*), life
vocione (*m.*), loud voice
vogliamo, *see* **volere**
voglio, *see* **volere**
voi, you

volontieri, willingly
volere, to wish, want; **voglio**, I want; **vuole**, he, she wants, **vogliamo**, we want
volta (*f.*), time
vuole, *see* **volere**

zio (*m.*), uncle